KB099523

폭우를 선고받은 나의 청춘은

발 행 | 2024년 7월 25일
저 자 | 유아린
펴낸이 | 한건희
펴낸곳 | 주식회사 부크크
출판사등록 | 2014.07.15.(제2014-16호)
주 소 | 서울특별시 금천구 가산디지털1로 119 SK트윈타워 A동 305호
전 화 | 1670-8316
이메일 | info@bookk.co.kr

ISBN | 979-11-410-9696-0

www.bookk.co.kr
ⓒ 유아린 2024

본 책은 저작자의 지적 재산으로서 무단 전재와 복제를 금합니다.

폭우를 선고받은
내 청춘은

- 망가진 당신을 사랑한

지은이 : 유아린

[목 차]

4

책을 펼치며…

청춘이란 무엇일까

바닷속에 빠져
허우적 대는 어린아이처럼
매일 물음표로 가득한
질문들 속에서 허우적대던 나는
드디어 청춘이란 것을
알게되었습니다

그리고 나의 청춘은
폭우를 맞고
비를 맞은 어린아이처럼

쓸쓸하게 젖은 채 서있다는 것을
그리고 가끔 그친 폭우 속에서의

8

빗방울에 반사되어 빛나는 것이
내 청춘이란 것을

내 청춘은 당신이었습니다
내 청춘에는

망가진 당신이 있습니다

1. 망가진 당신의
청춘은

1. 망가진
당신의 청춘은

오늘도 아무렇지 않게
침대 위에서 눈을 뜬다

당신은 아무렇지 않게
이부자리를 정돈하고서는
창문을 바라보다

나에게 죽음을 속삭이고

당신의 속삭임을 들은 나는
또 다시 무너져 내린다

" OO아 나 왜 또 눈을 뜬거야? "

제발 더 이상 당신의
속삭임이 없기를 바라며

제발 더 이상 당신이
눈 뜨는 것을
후회하지 않기를 바라며

망가진 당신은
청춘도 망가져있어서

다들 행복할 청춘에
다들 푸르다던 그 청춘이

당신의 청춘은 회색빛을 띄는
어둡고 탁한 그런 빗물 색이었다

" 오늘도 비가 내리네.. "

분명 맑은 하늘이지만
당신은 비가 내린다고 했다

맑은 하늘을 보며
비가 내린다는 당신은
너무나 망가져있기에

맑은 하늘을 보지 못하고
매일같이 폭우를 말했다

" 미안해 내가…
오늘은 당신이
맑은 하늘을 보길 바랬는데
미안해 사랑해 "

당신에게
맑은 하늘을 보여주지 못한 것이
나의 탓 같아서

미안하다는 말밖에 나오질 않았다

그래 난 당신을 사랑하고
당신을 사랑하는 나의 청춘은
당신의 미래와 같은 색이었다

부디 당신이 내일은
맑은 하늘을 볼 수 있기를

부디 당신에게 내일은
맑은 하늘을 보여주기를

부디 당신이
오늘 저녁에는 온전하기를

2. 당신은
밥 먹는 것 조차도

2. 당신은
밥 먹는 것 조차도

점점 매말라가는 듯한 당신은
꽃이 시들듯 말라만 가고

내게 억지로 웃음을 지어보이지만
내가 사랑하던
당신의 웃음이 아니라서

당신을 바라보는 내 속이 쓰리다

뭐라도 먹으라며 당신에게
인상을 쓰는 나를 보고 당신은
애써 한 번 더 웃음을 지으며
내 무릎에 누워
젤리를 입에 한 알씩 넣는다

달달한 향을 내며
입 안에 젤리를 품은 당신은

오늘 중 그 어떤 순간보다도
예쁘게 웃으며
내 입 앞에 젤리 하나를 건넨다

" 먹어 너도 "

망가진 당신은
밥을 먹는 것 조차도
힘이 든지 작고 작은 젤리를
한 알씩 깨물어 먹는다

그런 당신을 보며
저절로 인상이 찌푸려졌지만
애써 웃으며 대답했다

" 먹어 나는 안먹어도 돼
자기 뭐라도 더 먹어야지 "

당신은 모르는걸까
망가진 탓에 잊어버린걸까
나는 젤리를 먹지 못한다

나는 젤리를 좋아하지 않는데
당신은 천진난만한 아이처럼
웃으며 내게 젤리를 내민다

망가진 당신이기에
기억하는 것이 힘든 것을
알고있는 나이지만

그래도 사랑하는 사람의 무관심은
가슴이 저려올만큼 아픈 일이었다

3. 사랑했던
당신의 얼굴은

3. 사랑했던
당신의 얼굴은

맑은 오후
햇빛이 쨍쨍하게
내리쬐는 창문 옆에서

당신은 내 무릎을
벤 채로 잠에 들었다

몇 일동안 쉬이 잠에 들지 못하여
지쳐있던 당신이었기에

오랜만에 보는
잠든 모습이었다

오랜만에 보는
내가 사랑하는 당신의 모습이었다

햇빛이 너무 맑은지 핏기 없이
인상을 쓰는 당신의 얼굴을
망가뜨리고 싶지 않은 마음에

숨소리 조차도 내지 못하고
조금도 움직이지 못한 채로
당신을 가만이 내려다볼 뿐이었다

" 자기야 사랑해 정말로 "

작게 당신의 귓가에
사랑을 속삭였고
인상을 쓰고있던 당신의 얼굴에
핏기가 돌며 웃음꽃이 폈다

꿈 속에 있는 당신에게
내 목소리가 닿은 것일까

설레이는 맘으로

몇 시간 뒤
최대한 늦게 깨어날 당신에게
물어봐야겠다는 맘으로

오랜 시간 깨어있었던 나도
소파에 기대 조금의 잠을 청한다

시간이 얼마나 지났을까
생각하던 찰나에

무릎이 너무 가볍다

반사적으로 눈을 뜨고
당신을 찾는다

고요하다

비정상적으로 고요하다

본능처럼 찾은 당신은
번개소리를 들은 어린아이처럼
웅크려 귀를 막고있었다

" 자꾸 빗소리가 들려
이 비 좀 멈춰줘 제발 "

당신은 나를 발견하고선
귀를 막고있던 한 손을 떼어
나의 팔을 세게 붙잡고

오지도 않는 비를
멈춰달라는 소리를
한 시간동안 내리 늘어놓았다

얼굴에 눈물자국이 가득한 당신이
너무 안쓰러워 품에 가득 안았다

금방이라도 터질것 같은 눈물을
얼굴에 가득히 품고있던 당신은
나의 품 속에서 모두 터뜨려냈다

그리고 그런 당신을 나는
몇 시간동안 계속해서 달랬다

" ○○아 나 죽어? "

평소에도 듣던 당신의 질문이
오늘따라 더 아프고 쓰리다
오늘따라 더 인상이 쓰여진다

" 아냐 그런거, 살거야 "

늘 그렇듯 살거란
대답을 건네지만

늘 그렇듯 웃음이란
대답을 건네지만

오늘따라 왜인지 아프다

4. 내가 사랑했던
목소리는

4. 내가 사랑했던
목소리는

몇 시간동안 내리
울기만 한 당신의 목소리는
말라비틀어진 나뭇가지처럼 갈라진다

" 00아 나 목 말라
물 좀 가져다줄래? "

애써 억지로 웃어보이는 것이
눈에 훤히 보였다

혹여나 내가 물을 가지러 간 사이
당신이 또 다시 빗소리에
귀를 틀어막아

나의 목소리 조차도

들으려 하지 않으면
어쩌지 하는 마음에 주저했지만

" OO아 "

아 내가 사랑했던 목소리다

" 괜찮아 잠깐이잖아 "

아 그래 내가 사랑했던 목소리는
이 목소리다
맑고 들으면 마음이 편안해지는
이 목소리

들자마자 안심하고 부엌으로 갔다

당신이 뭐든 조금이라도
먹었으면 하는 마음에

김치 볶음밥을 만든다

이걸 먹으면 매워서라도
물을 조금 더 마시지 않을까
하는 마음에

물과 밥을 들고
당신이 있는
방의 구석으로 향한다

" 자기야 물 가져왔어 "

다행히도 나의 목소리를
거부하지 않는 당신은
밥을 마주하고
겨우겨우 한숟갈씩 입에 넣는다
먹는 모습이 참 예뻤던 당신인데

어쩌다 밥 조차도 제대로
먹지 못하게 되었는지
기억도 나지않을만큼
너무나 오래되었다

언제쯤 나는
내가 사랑했던 당신의 모습을
다시 마주할 수 있을까

5. 노을을 파도라
부르던

5. 노을을 파도라
부르던

오늘도 무사히 지나간다

지나간걸까

나 자신에게 의문이 들었지만

너의 속삭임을
한 번 밖에 듣지 않았다는 것에
의미를 두기로 한 채

어렵게 잠에 든 당신을
깨우러 안방으로 향한다

잘 때만 이렇게
편안히 있을 수 있는

당신을 보며
참 안타까워 인상이 쓰여졌다

노을이 진다
망가지기 전의 당신은
나와 노을을 볼 때면
항상 파도라 불렀다

' 노을이 지는거 말이야
꼭 파도가 치는 것 같아
붉은 파도가 일렁이는 것을
올려다 보는 것 같지 않아? '

노을을 참 좋아하던 당신이었는데

아니 노을을
사랑하던 당신이었는데
이제 노을조차 마주할 수 없는

당신이 안쓰러워
품에 가득 안는다
품의 온기를 느낀 것일까

금방 잠에서 깨버린 당신은
또 다시 눈을 뜬 것에 절망한다

" 또야..또 눈을 떴어 왜..
도대체 왜 난 자꾸 눈을 뜨는거야 "

아 또 다시 당신은
내 귀에 죽음을 속삭인다

" 아니야 괜찮아
내가 옆에 있잖아 괜찮아 "

"나 그만 살고싶어 이제…
OO아 나 이제 힘들어 "

" 안돼 난 자기 없으면 안돼
한 번만 하루만 더 버텨줘 제발 "

나는 필사적으로
당신의 속삼임을 무마시킨다

제발 당신이 오래 살기를 바라며
품에 가득 안는다

당신은 필사적으로 나의 품에서
벗어나려한다

제발 그만 살기를 바라며
품에서 벗어나려 발버둥 친다

" 지금 노을 지고있어
우리 파도 보러 가자 "

41

" 파도…? "

파도라는 소리에 발버둥이 멈춘다

당신을 진정시켜 거실로 데리고 나가
큰 유리창으로 들어오는 노을을 보며
당신은 온전해져갔다

" 정말 내 파도네…내가 제일 사랑하는
나의 노을, 나의 파도 "

조금 특별하게
조금 아프게

사랑하는 우리는
오늘도 서로를 끌어안고
서로의 귀에
사랑을 속삭이다 잠에 든다

6. 마지막 편지

6. 마지막 편지

오랜만에 새벽에
아무 기척을 느끼지 못하였다

왜지

지금 무언가 옆에
사람이 없는 듯한 이 허전함
본능적으로 그 때와 같이
눈을 뜨고 당신을 찾지만
그 어디에도 당신이 없다

달랑 편지 한 장만이 놓여있다

' 사랑하는 당신에게

고마워 당신 품에서 잠들었더니

지금은 좀 온전해

그리고 고마워 아니 미안해
무슨 말부터 해야할까
자기야 우리는 너무 사랑하는데
사랑해서 안돼

나는 너에게 악이 될거고
너는 항상 내게 선이 되어주겠지
언젠가 선은 악을 버티지 못하고
집어삼켜질거야

내가 널 망칠거야
내가 널 망치는 그 모습을
난 볼 수가 없어
난 널 사랑하니까

그러니까 우리 여기까지만
하는걸로 하자

많은 추억을 쌓은 우리지만
그 추억은 잠깐의 꿈이라고 생각하자
그저 꿈이었다고 생각해줘

괜찮아져줘
내가 없어도 바보같은 짓
하지 말고
나 없이도 버텨줘
내 마지막 부탁이야 '

아 잠시만
무너진다 정신이 붕괴한다

눈물이
눈물이 아닌것처럼 쏟아져내린다

이게 슬퍼서 나는 눈물이 맞을까
정신이 없다

정신이
정신이 아닌것처럼 혼미하다
지금 무슨 생각을 하고있는걸끼
눈물이 흐른다

' 아 난 당신없인
그저 텅 빈 몸일 뿐이야 '

아
·
·
·
사이렌 소리
섬뜩하다

밖으로 뛰쳐나간다

사이렌 소리가 울리던 곳에는
차갑게 식은 당신이 있었다

" 아아...이거 아니..야
자기야 왜 여기있어...?
우리 집에 같이 가야지...
왜 여기에 있..어.. "

난 당신을 끌어안고 울부짖는다

아무리 끌어안아도 차갑기만 하다
아무리 품에 가득히 품어도
온기가 느껴지지 않는건지
당신이 눈을 뜨지 않는다

내 품이 느껴지지 않는건지

당신의 눈물조차 흐르지 않는다

차갑기만한 당신을 끌어안고
미치도록 울부짖고
소리를 지른다

제발 눈 좀 떠 이런건 아니야
언젠가 이별을 하더라도

이런건 내가 바라던
이별이 아니야

난 이런 이별을 원하지 않았어

난 당신의 끝이
이러길 원하지 않았어

난 당신의 내딛음이
이러지 않길 바랬다

난 당신의 내딛음이
없기를 바랬다

아직 당신에게 못해준
사랑한단 말이
수 백 개는 남았는데

" 사랑해 사랑해 사랑해
사랑해 사랑해 돌아와줘……
자기야 제발 거짓말이라 해줘 "

울먹이며 아무리 사랑을 속삭여도
당신은 눈을 뜨지 않는다

손에 검붉은 무언가가

당신에게서 가득히 묻어나오는데

내 손이 검붉게 물드는데

저기서 누군가
니를 부르는 깃 같은데

너무 운 탓에
귀가 잘 들리지 않는다

저기서 누군가
나에게 무언갈 말하는 것 같은데

너무 운 탓에 시야가 흐려져
입모양을 알아보지 못하겠다

잘 들리지 않는다 잘 보이지 않는다
눈물이 시야를 가린다

7. 절망

7. 절망

집으로 돌아와 검붉은 것이 묻은
손을 닦아내고
옷을 빨았다

지금 씻겨내려가는 것이

검붉은 이것인지

나의 쓰라린
아픈 마음의 상처인지

지금 검붉은 것을 씻겨내는 것이

물인지

내 눈에서 나오는 눈물인지

아 어떡하면 좋지
나는 너와의 일상에 익숙해져
너 없는 삶을
감히 상상해본 적이 없다

너 없이 살아간다
감히 어떻게 말할 수 있을까

절망적이다

" 자기야 어딨어…
나 두고 가지마 제발 "

날이 갈 수록 정신이 붕괴된다
마치 당신의 정신처럼

날은 맑지만 창밖에서는
하늘에서 피눈물이 내려서

당신의 눈물일까 생각하고
하늘을 올려다 보면
당신의 얼굴이 있어서

아무생각 없이
발을 내딛을 뻔 했다

당신이 발을 내딛을 때엔
나보다 더 굳은 다짐을 했겠지

난 다짐조차 하지 못해
내딛지 못한다

당신의 내딛음은
나를 위함이였을까
당신 자신을 위함이었을까

나를 위함이었다 하기에는
난 당신의 내딛음으로 인해
무너져 간다

당신을 위함이 아니었다 하기에는

당신은 항상 내딛음을 원했기에
나에게 죽음을 속삭였기에

' 아..그렇구나 그 속삭임은
당신을 위함이었구나
당신은 내 입장은 생각해주지 않았어 '

아 당신은
당신 자신만을 위해 내딛었다

당신에게 남겨질 자에 대한
배려 따윈 없었다

당신은 내가 남겨지고
어떻게 살아갈 것인지에 대한
생각 따윈 하지 않았다

8. 망가진 나의 청춘

8. 망가진 나의 청춘

당신이 떠나가고
나는 절망 속에서 살아간다

당신은 알까
나의 이 망가진 모습을

매일 빗소리를 들으면
당신의 울음소리가 생각나서

매일 노을을 보면
당신의 어여쁜 웃음이 생각나서

매일 몸을 웅크리고 있다보면
당신이 된 것 같은 기분이 들어서

매일 밥을 거르고 있다보면

당신과 같은 상태가 된 것만 같은
그런 기분이 들어서

" 역겨워 정말 내가
당신이 된 것 같아 "

이때부터였다
내가 나 자신이 역겨워진 것이
이리도 망가진 글을 쓰는 것이
이 글을 쓰기로 한 것이
내가 거울을 보기 두려워진 것이

나의 청춘은 이리 망가져갔다
점점 서서히 바닷속
깊이 잠들어갔다

아니 어쩌면 폭우 속에
갇힌 것일 수도

빗소리를 듣기 싫어졌다

당신처럼 망가졌기때문일까
라는 생각에

양쪽 귀에 이어폰을 끼고
노래를 크게 튼다
무의식적으로 튼 노래에서
익숙한 멜로디가 귓가에 울린다

다시는 듣고싶지 않았던
다시는 기억하고싶지 않았던

너와 함께 불렀던
익숙한 멜로디의 노래가
내 귀에 한 글자 한 글자
가시처럼 박힌다

" 아..듣기싫어 "

귀에 끼워져있던 이어폰을
십어딘지머 소리를 지른다

또 난 너와의 노래를
머릿속에 다시 한 번 새기고

또 난 너와의 연애를
머릿속에 다시 한 번 새기고

또 난 너와의 이별을
마음속에 다시 한 번 새긴다

또 난 너와의 연애를 이별을
마음속에 새기며
점점 더 망가져간다

당신 없이는 심장이 뛰질 않는다
당신 없이 심장이 뛴다면
그건 부정맥일 것이다

난 당신 없이 숨도 쉴 수 없다
내가 당신 없이 숨을 쉰다면
병원에 실려간 뒤일 것이다

난 당신 없이 무엇도 할 수 없다
매일같이 날 필요로했던
망가진 당신이지만

사실 당신 없이는
내가 버틸 수 없었기에

당신이 아무리 망가져도
망가진 당신을 돌보는게 지쳐가도
당신을 놓을 수가 없었다

어쩌면 사랑을 더 갈망한 것은
나였을 수도

9. 빛바랜 청춘

9. 빛바랜 청춘

당신이 발을 내딛은지도 몇 년

이제 조금은 숨를 쉴 수 있다
이제 조금은 심장이 뛰어진다

매일 노을을 볼 때면
당신이 파도라 부르던
그것이 떠올라

미친 것처럼 소리를 지르곤 하지만
이제는 당신의 파도를 보고도
울지도 웃지도 않는다

아니 이제는 당신의 파도를 보고
아무 감정도 느끼질 못한다

당신은 내이름이 좋다고 하였지만
나는 내 이름이 싫어서

당신이 부르던 내 이름이
귓가에 노랫소리처럼 맴돈다

' 00아~ '
그 맴돎이 내일은 멈추기를
내일은 당신 생각을
조금은 덜 하기를

내 청춘에는 당신이 있다

아니 내 청춘은 당신이였기에

없어져버린 나의 청춘은
당신이 없는 나의 청춘은
빛바랜 나의 청춘은

언제 어디서부터
잘못됐다고 해야할지

" 언제 어디서부터 문제였을까
당신을 사랑한 것이 잘못이었다하기엔
내가 당신을 너무 사랑했어 "

당신을 사랑한 것을

아니 망가진 당신을 못놓은 것을

아니 어쩌면 당신의 내딛음을
마주한 것이 제일 잘못됐다

당신의 내딛음만큼은
내가 보지를 말았어야했다
그랬어야했다
그래야만했다

10. 조금은 나아진
나였기를 바랬지만

10. 조금은 나아진
나였기를 바랐지만

당신의 내딛음 뒤
망가진 삶을 살고있다

당신의 내딛음은
이미 한참 지났지만
망가진 삶을 살고있다
나는 왜 사랑하는 사람을
잃어야했던것인지

나는 왜 당신을
잃어야했는지

매일같이 노을을 보며
당신의 파도를 그린다

매일같이 하늘을 보며
당신의 폭우를 그린다

경멸스럽다

점점 당신을 닮아가는 듯한
그런 기분에
거울 속의 나에게서
조금씩 보이는 당신의 모습에

이젠 환멸이 날 지경이다

아 어쩌면 우리의 사랑은
뒤틀려있었을까

당신을 닮아가는
거울 속의 내가 역겹다가도
거울 속에서라도 보이는

당신을 갈망한다

갈구한다

애원한다

언제쯤 나는 당신의
내딛음으로부터
벗어날 수 있을까
언제쯤 나는 이 파도에서
벗어날 수 있을까

조금은 나아진 나였기를 바랬지만
나는 아직도 당신 없이는
텅 빈 하나의 생명체일 뿐이다

11. 꿈속에서 조차의
당신은

11. 꿈속에서 조차의
당신은

오랜만에 꿈을 꿨다
당신의 꿈
망가진 당신이 아닌
찬란하게 사랑했던 우리의 꿈

적당히 사랑하는 방법을 몰라
미치도록 사랑했던 우리였다
그랬던 우리였는데

왜 꿈 속의 당신은
왜 나를 그렇게 바라보는지
왜 나를 원망하듯 바라보는지

웃고있는 네 얼굴은
날 무너뜨리기에 적당했다

울고있는 네 얼굴은
날 절망에 빠뜨리기에 적당했다

" 울다가 웃다가 참 이상하지?
난 사실 널 만난걸 후회해 나는 "

꿈 속에서의 말이지만
현실이라면 당신은
절대 이런 말을 할 리가 없지만

현실이라면 당신이
이런 말을 할 리가 없다는 것을
그 누구보다 잘 알고있지만

당신의 아픈 말들은
날 세상과 단절시키기에 적당했고

당신의 나쁜 말들은
날 매말리기에 적당했고

" 00아 널 만난게 내 잘못이었나봐
널 만나지 않았다면
내가 이렇게 되지 않았을거야
그치? "

" 나때문이야 당신에게
평생 속죄하며 살게
미안해 미안해 미안해 미안해
사랑해 "

당신이란 사람에게 받는
가시 박힌 말들은
내 몸과 정신 모두를
망가뜨리기에 적당했다

" 사랑? 우리가 사랑을 했었니
우리가 한 것이 사랑이었을까 "

" 사랑이었어 분명 "

그래 우린 분명 사랑이었다
우리가 한건 사랑이었다
형태가 보이지 않아
확실하진 않지만

항상 서로를 바라볼 때면
얼굴을 붉혔고

항상 서로를 품에 안을 때면
사랑을 속삭였다

이것은 분명 사랑이다

하지만 꿈 속에서의 당신은
나에게 잔인하기만 하다

꿈 속에서의 당신은 왜
우리의 사랑에 물음표를 던지는지

나는 우리의 사랑에
늘 쉼표를 찍었건만

당신은 우리의 사랑에
늘 마침표를 내던지려 했는지

궁금하다

하지만 내가 사랑했던
그 사람이 아닌 꿈 속의 당신은
대답해주질 않는다

" 대답해줘 자기야 "

" 난 네가 사랑했던 그 사람이 아니야
이건 꿈일뿐이야
OO아 아프니라도 버텨내야돼
우리의 추억을 그저
꿈의 한순간처럼 잊어줘 "

" 싫어 제발 난 당신이 필요해 "

" 미안해 너만 두고 가서 "

아 내가 사랑했던 당신이 아닌
그 사람은 매정하기만 하다
차갑기 그지 없다

" 마지막으로 사랑한다고 해줘 "

" OO아… "

" 일방적인 통보였잖아
나한테 말도 없이 내딛은거잖아 "

" …ㅏ ㄴ해 "

" 뭐라고..? "

잘 들리지 않는다
입 모양을 잘 알아듣지 못하겠다
눈물을 흘리며 잠에서 깼다

" 아 당신이 그리워… "

얼마나 당신이 그리우면
당신이 아닌 당신을
꿈에서도 당신을 사랑했을까

얼마나 당신이 보고싶으면
내가 사랑하는 사람도 아닌
꿈 속의 당신을 애원했을까

마지막 당신이 맘은 무엇이었을까
사랑해였을까
미안해였을까

꿈 속에 의문만을 남긴 채로
방 구석으로 숨는다
귀를 틀어막고 빗소리를 거부한다

난 이제 당신처럼
맑은 하늘을 보지 못한다
난 이제 당신처럼
매일 비가 내리는 하늘을 본다

내 청춘은 흐리다
내 청춘은 당신이었다

당신은 발을 내딛었고
내 청춘은 없다

내 청춘은 무(無)다

12. 폭우를 선고받은
나의 청춘은

12. 폭우를 선고받은
나의 청춘은

아 이제 나의 상태는 당신과 같다

난 당신이다
나도 망가져간다

매일같이 폭우에 귀를 틀어막는다
매일같이 노을에 파도를 보며
온전해져간다

온전해지는 것도 잠시
또 다시 맑은 하늘을 보며

빗소리가 듣기 싫다며
귀를 막는다
모든 소리를 거부한다

매일 하루하루
점점 더 망가져간다

숨을 쉬는 방법을 잊어버려
숨을 쉬기가 어렵다

호흡이 가파져온다

물을 마시는 방법을 잊어버려
목이 매말라온다

갈증이 난다

무언가를 삼키는 방법을 잊어버려
배가 고파온다

배가 말라간다

나는 당신이다
당신의 모습을 하고있다

거울 속에 당신이 있다

아니 당신의 모습을 한 내가 있다

하늘에 맑은 하늘에
노을이 지는 맑은 파도에
당신 얼굴이 보인다
내딛을까 망설이다

하루만 더 살다 내딛기로 한다

아니 이제 내딛기로 한다

폭우를 선고받은 나의 청춘은

매일같이 폭우를 말하고
매일같이 당신을 그리워 한다

이제 당신과 같은
나의 마지막 내딛음
끝이 난다…

" 사랑해 자기야
… 사랑해 민아 "

책을 마무리 하며…

이 책을 쓰게 된 계기를
말해보자면
시실 잘 모르겠습니다
누군가를 진심 어린 마음으로
처음 사랑해보면서

누군가가 나의
청춘이라는 것이

내가 누군가의
청춘이 된다는 것이

참으로 기쁜 일이라는 것을
알게되었습니다

사랑한 그 사람에게
내 마음에 폭우를 내리게 했던

그런데도 사랑했던 그 사람에게
사랑을 말해주기 위하여
이 책을 썼습니다

이 책에 나오는 민이는
우울증에 걸려 심한 환각을 보는
평범하지만 특별한 그런 사람으로

민이가 죽은 후

민이를 사랑하던 여자 또한
우울증에 걸려 민이와 같은
증세들을 보이는 이야기입니다

맑은 하늘이지만
항상 폭우가 내리는 환각을 보고

노을을 붉은 파도라 표현하던
예쁜 사람이었으나

끝으로 죽음이라는
내딛음을 선택한
그런 망가진 사람이자
나의 사랑

저의 영원한 뮤즈이자 청춘입니다

저의 영원한 뮤즈

당신에게

민이에게

이 책을 바칩니다

.

.

.

사랑해 민아